]
de marché :

Ann Rocard • Mérel

Nathan

Rachid le timide

Mélanie la chipie

Pacha le chat

Pascale la géniale

Arthur le gros dur

ES-tu prêt pour une nouvelle aventure ? Eh bien, commençons !

Ah, j'y pense ! les mots suivis d'un ☼ sont expliqués à la fin de l'histoire.

C'est le jour du marché.
Rachid le timide fait
des courses.

Rachid achète des endives
et des navets.
– Bizarre, dit-il,
des légumes qui bougent !

Drôle de marché !

Rachid achète des meringues.

– Bizarre... Des gâteaux qui bougent !

Rachid achète de la laine blanche
pour sa grand-mère.
– Bizarre... De la laine qui bouge !

Mais que se passe-t-il ?

Rachid tend la main pour tâter
la laine.

– Bizarre... Des pelotes qui gigotent,
des pelotes qui rient !

Soudain, Rachid s'écrie :
– Oh ! C'est toi, Gafi ? Tu m'as
fait peur ! Viens plutôt m'aider...
– D'accord ! dit le fantôme.
C'est moi qui porte le panier.

Tu veux connaître
la suite de l'histoire ?
Alors, suis-moi...

Rachid est ravi de ne plus porter son panier.

Tout à coup, le boucher agite les bras :
– Attention ! Attention ! On annonce
une tempête !

Drôle de marché !

Ce n'est pas une blague !
Le vent se met à souffler.
Attention ! Le ciel devient noir,
tout noir.

Que va-t-il se passer ?

Le vent souffle de plus en plus fort.

Les marchands crient.

Les clients crient aussi. Et voilà
les pelotes de laine qui s'envolent !

Peu à peu, tout vole : les meringues, les endives, les navets, les saucissons, les poissons...

Drôle de marché !

Hop ! Le fantôme s'élance à son tour ;
il attrape tout ce qui vole.

Grâce à lui, rien n'est abîmé.

Ouf... le vent souffle déjà moins fort.

La tempête est finie.
Et Rachid applaudit :
– Bravo, Gafi !

c'est fini !

Certains mots sont peut-être difficiles à comprendre. Je vais t'aider !

 Meringue : gâteau fait avec des blancs d'œufs et du sucre.

 **Gigotent** : les pelotes de laine remuent dans tous les sens.

 Ravi : Rachid est content de ne plus porter le panier

 **Tempête** : vent très fort avec des orages

27

As-tu aimé mon histoire ? Jouons ensemble, maintenant !

La liste !

Rachid rentre chez lui. Voici la liste des courses. Peux-tu dire ce qui manque ?

Bananes
Endives
Poisson
Navets
Laine
Meringue
Raisin
Laitue
Oranges
Citron

Réponse : il manque le poisson, les navets, la meringue.

Le jeu des erreurs

**Avec la tempête, tout s'est mélangé !
Amuse-toi à retrouver les 6 erreurs
qui se sont glissées dans l'image du bas.**

Réponse : la bouche de Rachid ; la feuille d'arbre près du chien ; Pacha le chat ; le pull rayé de la dame en jaune ; le poisson dans le panier ; la couleur du parasol.

Les courses

Combien de fois le mot *navet* est-il écrit sur le panier ?

Réponse : le mot *navet* est écrit 5 fois.

C'est magique !

En remplaçant les dessins par les lettres correspondantes, tu découvriras le gâteau préféré de Rachid :

Devine quelle lettre se cache derrière la 🍌 .

Dans la même collection
Illustrée par Mérel

Je commence à lire

Je lis

Je lis tout seul

Directeur de collection et conseil pédagogique :
Alain Bentolila

© Éditions Nathan (Paris-France), 2004
Loi n°49-956 du 16 juillet 1949
sur les publications destinées à la jeunesse
ISBN 978-2-09-250411-6
N° éditeur : 10185034 - Dépôt légal : janvier 2012
Imprimé en France par Loire Offset Titoulet à Saint-Etienne